Für Marianne und Ciaran
M.W.

Für Helen Walpole
B. F.

Die Deutsche Bibliothek – CIP-Einheitsaufnahme

Wir haben euch lieb / Martin Waddell ; Barbara Firth.
[Aus dem Engl. von Regina Zwerger]. – Wien ; München : Betz, 1998
ISBN 3-219-10723-0

B 865/1

Aus dem Englischen von Regina Zwerger
Originaltitel »We love them«, erschienen
bei Walker Books, London

First published in Great Britain in 1990 by Walker Books Ltd., London
Gesetzt nach der neuen Rechtschreibung

Printed and bound in Hong Kong
2 4 6 7 5 3 1

Wir haben euch lieb

Text von Martin Waddell · Bilder von Barbara Firth

Annette Betz Verlag

Es war Winter und klirrend kalt
und der Schnee deckte alles zu.
Anna zog den Schlitten,
Max stapfte hinterdrein
und der alte Rolf tollte um die Kinder herum.
Mitten im Schnee lag etwas. Klein und fellig
und halb erfroren. Ein winziger Hase.

Rolf entdeckte ihn als Erster.
Er lief hin und bellte und wartete auf die Kinder.
»Glaubst du, muss er sterben?«, fragte Max.
»Ich weiß nicht«, sagte Anna.
Vorsichtig nahmen sie den kleinen Hasen
und trugen ihn nach Hause.

Das Häschen kuschelte sich eng
an den großen Hund. Der alte Rolf
leckte ihm fürsorglich das Fell.
»Rolf glaubt, es ist ein kleiner Hund«,
flüsterte Max.
»Und das Häschen hält Rolf für einen
großen Hasen«, sagte Anna.
Max nickte. »Aber wir sagen ihnen nicht,
dass sie sich irren.«

P

Sooft es ging, waren Anna und Max
mit ihren Tieren zusammen.
Sie spielten mit ihnen und streichelten sie,
sie fütterten und pflegten sie.
»Wir haben euch lieb«, sagte Anna.
»Sehr lieb«, sagte Max.
Und beide waren sich sicher,
dass die Tiere es verstanden.

Aus dem kleinen Hasen wurde eine junge Häsin.
Die Kinder gaben ihr den Namen Rosi.
Sie wurde von Tag zu Tag größer.
»Sie wächst mit jeder Karotte«, fand Anna.
»Und mit jedem Blatt Löwenzahn«, meinte Max.
Aber so groß wie Rolf wurde Rosi nicht.

Der alte Rolf …
Er hatte ein langes, glückliches Hundeleben gelebt.
Eines Morgens wachte er nicht mehr auf.
Anna und Max waren sehr traurig.
Und Rosi?
Rosi saß da und schaute nur.
Sie rührte nicht mal ihre Lieblingsblätter an.
Sie saß da und war traurig.

Die Zeit verging und der Sommer kam.
Und eines Tages lag da etwas
mitten in der Wiese.
Ein kleiner Hund.

Anna und Max nahmen ihn mit nach Hause.
Kaum hatte der kleine Hund Rosi entdeckt,
lief er zu ihr und legte sich neben sie.
Und Rosi ließ es sich gefallen.
»Rosi glaubt, er ist ein kleiner Hase«,
sagte Max.
»Und das Hündchen hält Rosi für einen
großen Hund«, ergänzte Anna.
Max lachte. »Aber wir sagen ihnen nicht,
dass sie sich irren!«

Rosi war nicht mehr allein.
Sie spielte mit dem kleinen Hund,
wie sie mit Rolf gespielt hatte.
»Ich hab ihn so lieb wie den alten Rolf«,
sagte Anna.
»Ich auch«, sagte Max.
Und so beschlossen die Kinder,
ihn auch Rolf zu nennen.

Der kleine Rolf blieb nicht lange klein.
Er wurde größer und größer.
Schließlich war er so groß
wie Rosi.

Und dann wurde er noch größer.
Aber so groß wie der alte Rolf
wurde er nicht.

Rosi glaubt immer noch,
dass Rolf ein Hase ist.
»Es macht ihr nichts,
dass er so groß ist«, sagt Max.
»Ich glaube, Rosi liebt große Hasen.«

Rosi und Rolf sind immer zusammen.
Sie spielen draußen oder im Haus.
Anna und Max sind dabei.
»Wir haben euch lieb«, sagen die Kinder oft.
Und die Tiere spüren es.